迪士尼 **我会自己读** 第1级

雪宝的一天

童趣出版有限公司编　人民邮电出版社出版

北　京

缓步出发大步走

儿童阅读的作用和意义，家长们已经达成共识，不再需要热烈讨论。不过，家长们还是有一些普遍困惑，例如，孩子在幼儿园要不要识字？通过什么方式识字？孩子在幼儿园不识字能否应对小学之初的压力？如何处理父母读和自主读的关系？阅读兴趣和语言学习如何兼顾？

这套书正是为了解答上述疑惑而编写的。编写者希望在儿童阅读的纷繁流派中，坚持一些基本观点，探索中国孩子学习阅读的独特途径。这些观点主要如下：一、早期阅读要把阅读兴趣的培养放到最重要的位置来考虑；二、通过这套书让孩子在幼儿园认识 400 个常用字，为小学阶段的学习减轻压力和奠定基础；三、不鼓励父母用识字卡片的方式教孩子识字，把生字放到故事中更有意义；四、在小学三年级的阅读关键期，实现孩子自主阅读；五、幼儿园阶段既鼓励亲子阅读，又鼓励孩子自主阅读。由此，这套书主要有如下特点：

科学性。从选择高频、简单、构词能力强的字先认，到通过各种方式复现，再到故事内容的打磨，最后培养出优秀的阅读者。从分级阅读的角度，综合考虑生字、生词、句子长度、主题深浅等多个因素，编写出难度递增的故事。

趣味性。选择了迪士尼的漫画人物和漫画故事作为主要内容，降低阅读难度，增强阅读趣味。由于有识字的安排，创作故事犹如“戴着镣铐跳舞”，但故事仍然精彩十足，劲道十足。

功能性。把识字放在重要位置，同时兼顾文学性。和时下流行的图画书不同，本套书把学习功能放到重要位置。希望通过有趣的故事，让孩子认识汉字，早日实现自主阅读。

希望通过这套书，帮助孩子在阅读之路上缓缓起步，培养自信，锻炼能力，然后再大步流星，一路前行，成为趣味高雅、兴趣充盈的阅读者！

王林（儿童阅读专家）

雪宝的一天

啊，天儿真好，我要出去玩儿！

“你好，！出去玩儿吧！”

“好吧。”

艾莎
“，出去玩儿好不好？”
“我的朋友来了……”

“快来吧，出去玩儿多好啊！”

“好吧。我来了！”

地上的花儿、小草真好看！

大家玩儿啊玩儿，好高兴啊！

开 了！
船

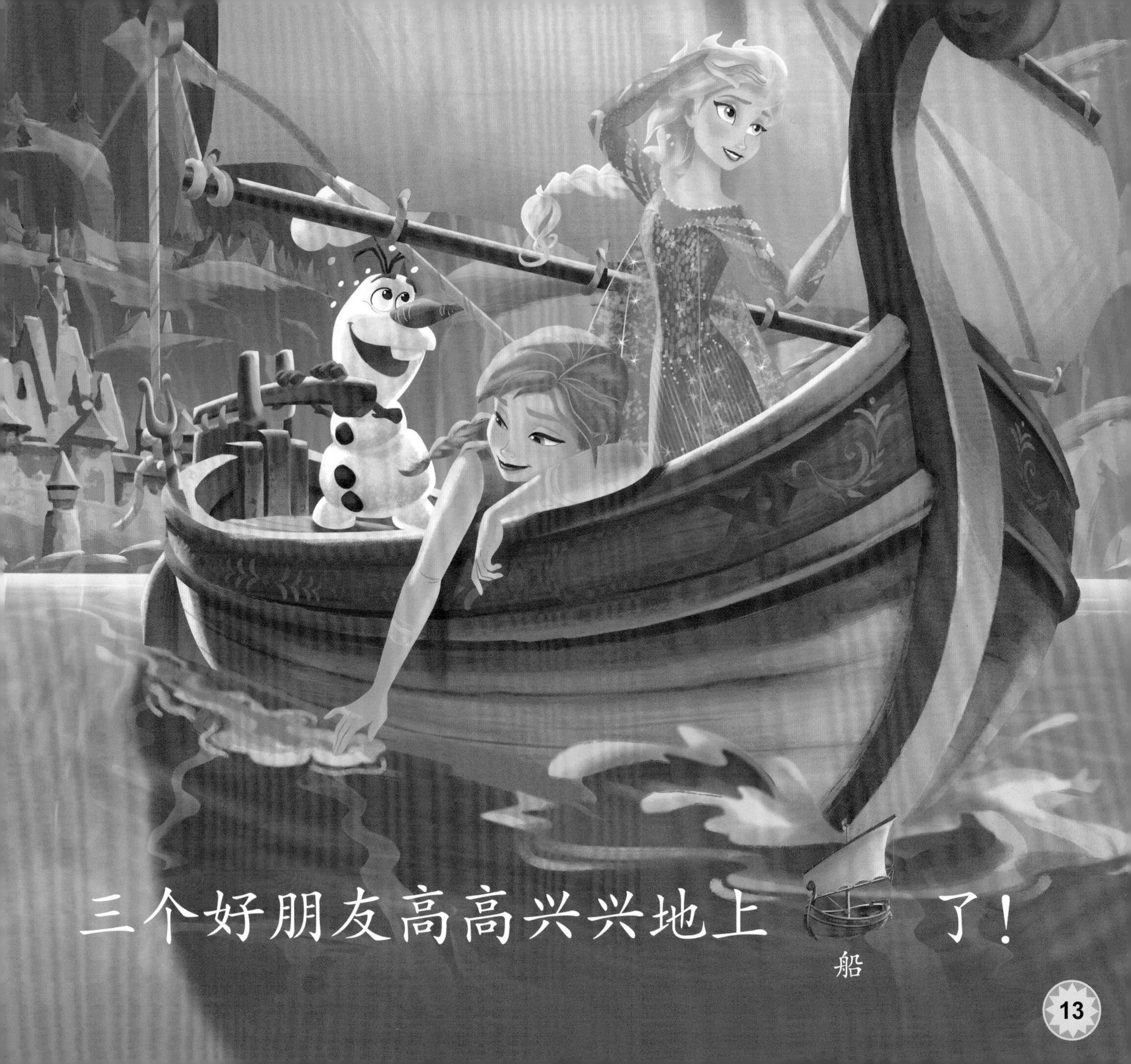

三个好朋友高高兴兴地上 船 了！

雪宝
玩儿啊，玩儿啊，
笑啊，笑啊。

“朋友们，你们好！
跟我一起玩儿吧！”

我爱玩儿，我爱笑，

我爱花儿，我爱草。

我爱两个好朋友，

大家一起快快跑。

“来吧，吃好吃的了！”

玩儿了一天，高高兴兴回家了。

雪宝

我当爸爸你当妈妈

一天，安娜、克斯托夫去看小地精。

“你看，小地精爱吃的蓝莓酱。”

“太好了！”

看到了十二个
。
安娜
地精
“大家好！”

“安娜，你好。到我家来吧。”

、出去了。
地精妈妈
地精爸爸

“看好我的小　　。”
地精
“好的。”

十个小
地精
高兴地
玩儿啊玩儿。

“下来，快下来！”

七个小跑来跑去，跑上跑下，

地精

不回家。

“快回来！”“不，我出去看一看。”

“快来吃好吃的吧！”
“不好吃！不好吃！”

“回来，快回来！”

“不，不，我玩儿去了。”

“大家好！我来了！”

到了，大家真高兴。

“不，不，快下来！”

不好！大家看到
安娜
……

天啊！你真好吃啊！

“春天来了，我看到天上的小鸟，地上的小花儿……”

“雪宝，你真棒！”

为下面每幅图找出相对应的汉字吧！

顺着雪花和花朵，为每个字宝宝找到它的朋友吧！

爸　　去

天　　爸

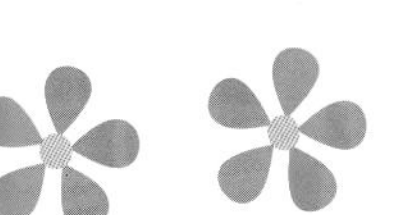

出　　地

游戏测试页

下面的句子你会读吗?
每读对一句就把它旁边的 ☆ 涂上颜色。

☆ 天儿真好。

☆ 朋友们，你们好！

☆ 我来了！

☆ 我爱玩儿，我爱笑 。

超范围字

kāi	men	a	ba	kuài	tài
开	们	啊	吧	快	太
pǎo	huí	zhēn	bàng	yào	qǐ
跑	回	真	棒	要	起

第1级总字表

一	二	三	四	五	六	七	八
九	十	两	上	下	大	小	多
少	个	花	草	天	地	春	鸟
朋	友	出	去	到	来	看	吃
笑	找	爱	玩	儿	了	只	的
不	高	兴	好	早	我	你	
爸	妈	家					

艾莎、安娜和雪宝的故事真好看，我还想看！下面的小书你都看过了吗？看过了就在书的旁边打个“√”，没有看过的快去看吧！

专家小贴士

建议孩子同一级别的书多读几本，提高重点字的复现率，便于孩子强化巩固已认生字。